arissa, Benjamin, Ethan, Gary
y Amy, por supuesto.
T.A.

Copyright © 2007, Tedd Arnold

tulo original: *There was an old lady who swallowed Fly Guy*

© 2007, Beascoa, Random House Mondadori, S.A.
Travessera de Gràcia, 47-49, 08021 Barcelona

r acuerdo con Scholastic Inc., 557 Broadway, New York, NY 10012, USA
a de este libro se llevó a cabo a través de Ute Körner Literary Agent, S.L.,
Barcelona- www.uklitag.com

Primera edición: noviembre de 2007

Traducción: Susanna Esquerdo Todó
Realización: Atona, SL

ISBN: 978-84-488-2644-4

Depósito legal: B-50459-2007
Impreso en España

EL DÍA EN
QUE ALG
SE ZAMP
SUPE

WIT

Tedd

Be

Para N

Publicado p
La negociació

EL DÍA EN QUE ALGUIEN SE ZAMPÓ A SUPERMOSCA

Tedd Arnold

Beascoa

Para Marissa, Benjamin, Ethan, Gary
y Amy, por supuesto.
T.A.

Copyright © 2007, Tedd Arnold

Título original: *There was an old lady who swallowed Fly Guy*

© 2007, Beascoa, Random House Mondadori, S.A.
Travessera de Gràcia, 47-49, 08021 Barcelona

Publicado por acuerdo con Scholastic Inc., 557 Broadway, New York, NY 10012, USA
La negociación de este libro se llevó a cabo a través de Ute Körner Literary Agent, S.L.,
Barcelona- www.uklitag.com

Primera edición: noviembre de 2007

Traducción: Susanna Esquerdo Todó
Realización: Atona, SL

ISBN: 978-84-488-2644-4

Depósito legal: B-50459-2007
Impreso en España

Un niño que se llamaba Gus tenía una mosca como mascota. Nadie sabía por qué había escogido esa mascota.

Capítulo 1

Un día Gus fue a ver
a su abuelita. Y su mosca
también fue con él.

La abuelita se alegró mucho
de ver a Gus.
Corrió a abrazarlo.

—Hola, abuela —dijo Gus—.
Te presento a mi mascota...

La abuela dijo:

¡Glups!

Y se tragó la mosca.

Gus no sabía por qué
la abuela se había tragado
su mascota.

<u>Capítulo 2</u>

La mosca cayó por
un agujero muy oscuro.

Y fue a parar a un lugar
muy sucio.

Dio un vistazo a su alrededor.
Y le entraron muchas ganas
de salir de allí.

Subió hacia el agujero.

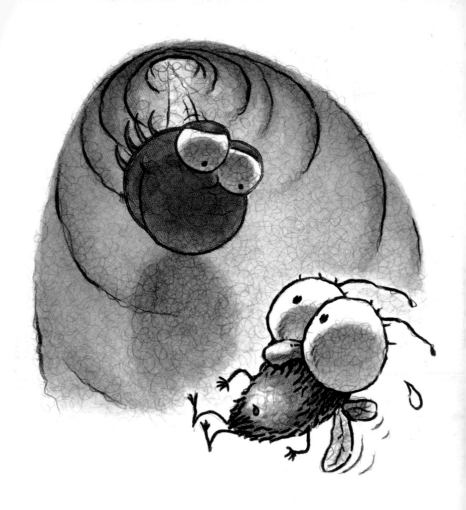

Pero la abuelita se acababa
de tragar una araña para
que cazara a la mosca.

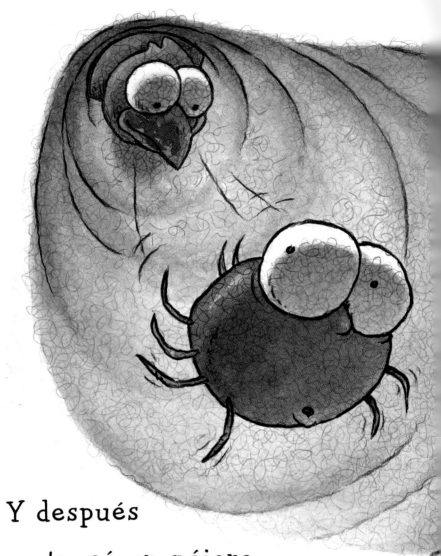

Y después

se tragó un pájaro

para que cazara a la araña.

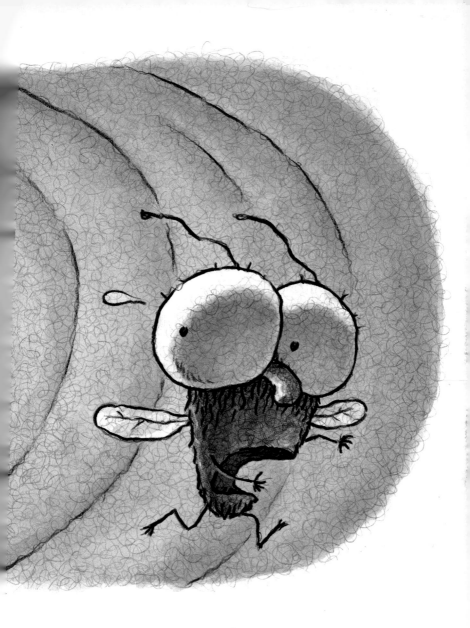

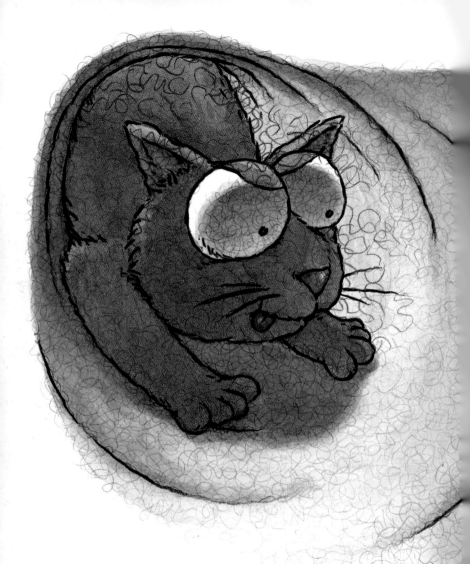

Y se tragó un gato
para que cazara al pájaro.

Y se tragó un perro
para que cazara al gato.

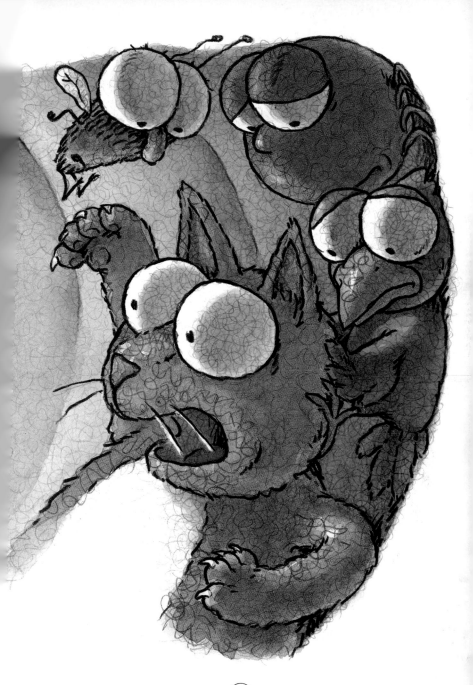

Y se tragó una cabra
para que cazara al perro.

Y se tragó una vaca
para que cazara a la cabra.

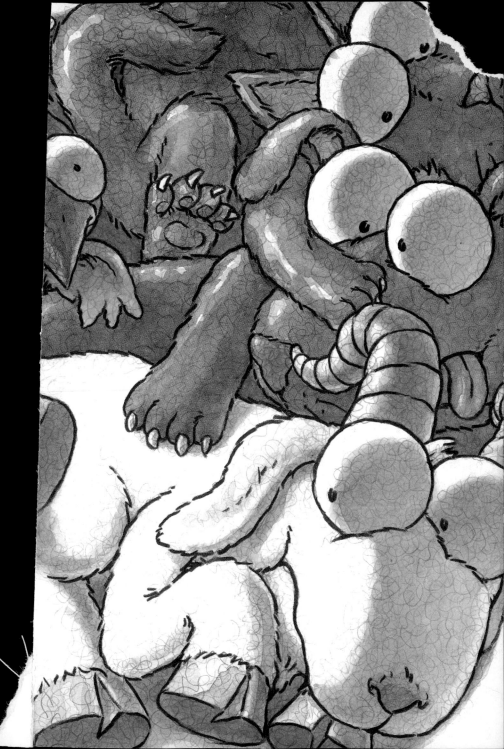

Capítulo 3

La abuelita estaba a punto de tragarse un caballo para que cazara a la vaca.

La mosca gritó:

—¡Estoy aquí arriba! —gritó
Gus.

Y la mosca salió.

Y también salieron la araña,
el pájaro, el gato, el perro,
la cabra y la vaca.

¡Y todos volvieron a vivir felices!